Aladino
y la lámpara
maravillosa

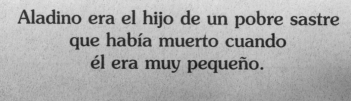

Aladino era el hijo de un pobre sastre
que había muerto cuando
él era muy pequeño.

Un anciano que decía ser
su tío, propuso a Aladino
ir con él a la India
para aprender el oficio
de comerciante.

Aladino aceptó encantado. Salieron de casa
al amanecer y viajaron hasta que se hizo
de noche. Acamparon en un valle
y allí el muchacho descubrió la verdad.

Aquel viejo
no era sino un
malvado mago
con terribles
intenciones.

Hizo que Aladino
bajara a una cueva
para buscar
una lámpara.
Allí, el muchacho,
además de la lámpara
encontró piedras preciosas
y un anillo que guardó
en su bolsillo.
Cuando iba a salir,
intuyó que el anciano
le iba a dejar encerrado
y se negó a entregarle
la lámpara.
El mago se enfureció
y cerró la cueva
con una losa.

Aladino, que llevaba dos días
encerrado, frotó sin darse cuenta
el anillo y, al instante,
surgió un genio.

El genio le dijo que le podía ordenar
lo que quisiera y Aladino le pidió
que le llevara a casa.

Al día siguiente su madre lo encontró
durmiendo plácidamente.
Cuando Aladino despertó,
le contó lo que había sucedido.

Pidieron comida al genio del anillo,
pero éste dijo que no podía
conseguirla. Aladino le dijo
a su madre que vendiera la
lámpara a cambio de alimentos.
Ella se dispuso a limpiarla y,
al frotarla, apareció el genio
de la lámpara que, como el del anillo,
dijo ser su esclavo.
A partir de aquel día,
Aladino y su madre no tuvieron
que preocuparse por nada.

Aladino, enamorado de la hija del sultán,
fue a pedir su mano. El sultán le dijo que,
si era capaz de construir un palacio en un
solo día, le concedería la mano de su hija.
El genio construyó el palacio
y Aladino se casó con la princesa.

El mago se enteró
y decidió robar
la lámpara. Se dirigió
al palacio y, engañando
a la princesa,
consiguió que ésta
se la entregara.

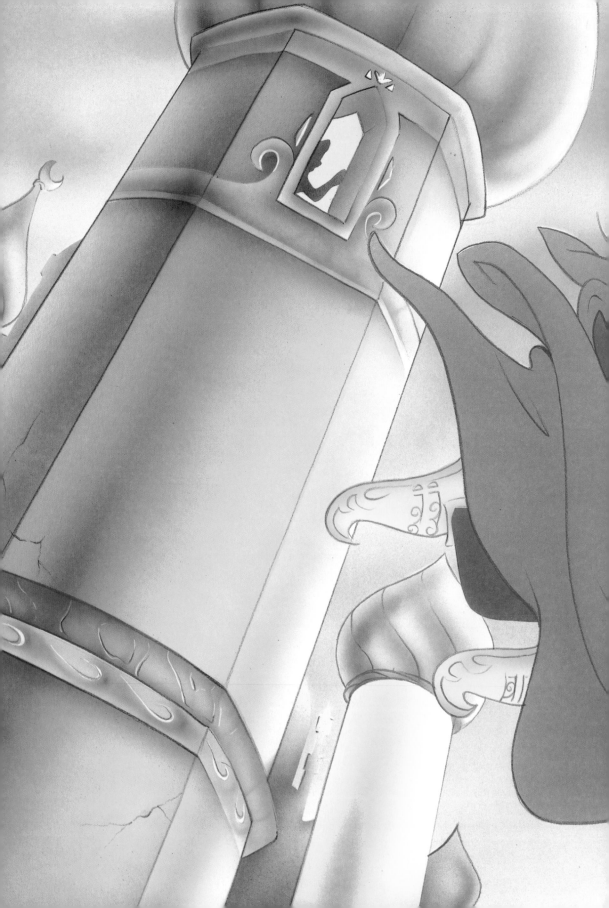

Ya dueño de la lámpara, el malvado mago ordenó al genio
que llevara el palacio y a la princesa hasta sus dominios.
Aladino, ayudado por el genio del anillo, llegó al palacio y,
de un fuerte empujón, arrojó al mago por la ventana.

El palacio fue devuelto a su sitio y Aladino
recuperó a su esposa. Nunca más volvieron
a separarse y vivieron felices para siempre.